Camille a fait pipi dans sa culotte

Nounours ! Dépêche-toi !
On part chez papi et mamie !
On va bien s'amuser !
Et puis dans la voiture,
je te dirai
un secret.

Tu sais, Nounours, dit Camille,
hier à l'école, Bérénice a fait
pipi dans sa culotte.
La maîtresse a dit
que c'était pas grave.

Mais Maxime, lui, il a dit que ce sont les bébés qui font pipi dans leur culotte. Alors maintenant, tout le monde dit que Bérénice est un bébé.

Ce matin, Bérénice,
elle était pas là.

Peut-être que sa maman
lui a remis une couche
et qu'elle lui donne
le biberon. Moi
je l'aime bien,
Bérénice…
Même si c'est
un bébé.

– Qu'est-ce que tu racontes à Nounours
ma chérie ? demande maman.
– Euh… Je lui dis qu'on est presque arrivé
chez papi et mamie, dit Camille
en rougissant.

Un quart d'heure plus tard, toute la famille
est réunie chez papi et mamie. C'est rigolo, ça fait
beaucoup de monde, beaucoup de bruit, beaucoup de rires !

Camille et ses cousins se précipitent dans le jardin
pour jouer à cache-cache.
– Hou ! hou ! Camille,
où es-tu ? crie Jules
au bout d'un moment.

– Sors de ta cachette,
tu as gagné.

Nounours, chuchote Camille, j'ai essayé de me retenir, mais j'ai fait pipi dans ma culotte, comme Bérénice. Tout le monde va se moquer de moi.

– Camille ! Mamie nous appelle.
Il faut aller goûter, crie Victorine.

Mais Camille reste blottie derrière le tas de bois
et une grosse larme coule sur sa joue.

Et puis maman va me remettre des couches,
et puis au lieu de manger de la tarte aux fraises de mamie,
je vais avoir un biberon.

– Camille ! Pourquoi n'es-tu
pas sortie de ta cachette ?
fait soudain maman
derrière elle.

– On s'inquiétait.
Ne recommence jamais !
Allez, viens vite.

– Non, je veux pas.
– Qu'est-ce qui se passe ?
Ça ne va pas ?
– Je…, dit Camille au bord
des larmes. J'ai fait pipi
dans ma culotte.

– Oh ! Ma pauvre chérie ! lui dit maman en la prenant
par la main. J'ai apporté des vêtements de rechange.
Nous allons réparer tout ça avant d'aller goûter.

– Je suis redevenue un bébé ?
demande Camille, très inquiète.

– Mais non ! Quelle idée ! De temps en temps,
quand on est très occupé, il arrive qu'on fasse pipi
dans sa culotte. C'est tout.

– Alors, tu ne vas pas me mettre de couches ?
– Bien sûr que non !
– Alors, tu ne vas pas me donner le biberon ?
– Mais non !

Camille pousse un soupir
de soulagement !

– Youpi ! Alors, je veux deux parts de tarte,
fait-elle tout heureuse.
Une pour moi et une pour Nounours.

Imprimé en Belgique